Je vole comme une patate !

Des romans à lire à deux,
pour les premiers pas en lecture !

La collection Premières Lectures accompagne les enfants qui apprennent à lire. Chaque roman peut être lu à deux voix : l'enfant lit les bulles et un lecteur confirmé lit le reste de l'histoire.

Cette collection a trois niveaux :

NIVEAU 1 les bulles peuvent être lues par l'enfant qui débute en lecture.

NIVEAU 2 les bulles peuvent être lues par l'enfant qui sait lire les mots simples.

NIVEAU 3 les bulles peuvent être lues par l'enfant qui sait lire tous les mots.

Quand l'enfant sait lire seul, il peut lire les romans en entier, comme un grand !

Un concept original **+** des histoires simples **+** des sujets qui passionnent les enfants **+** des illustrations :
des romans parfaits pour débuter en lecture avec plaisir !

Cette histoire a été testée par Sophie Dubern, enseignante, et des enfants de CP.

L'orthographe rectifiée est appliquée dans cet ouvrage.

Loi n° 49-956 du 16 juillet 1949 sur les publications destinées à la jeunesse,
modifiée par la loi n° 2011-525 du 17 mai 2011.
ISBN : 978-2-09-251406-1

NIVEAU 1

Je vole comme une patate !

Texte de Didier Lévy
Illustré par Anouk Ricard

Loulou le lutin chante dans le jardin :

Quand il entend derrière lui
un énorme bruit :

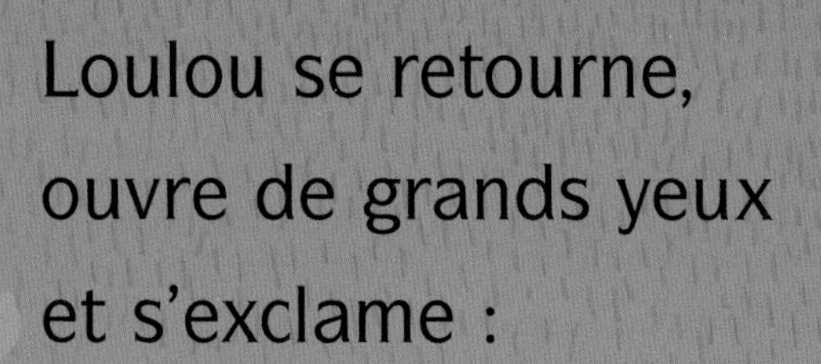

Loulou se retourne,
ouvre de grands yeux
et s’exclame :

Alors là, je rêve !

Une étoile filante encore bébé vient de s'écraser. Elle n'est pas contente, elle bougonne :

Je vole comme une patate !

Inquiet, Loulou s’approche timidement.

L’étoile filante soupire :

Loulou s’agenouille près d’elle.

Tu as une belle bosse.
Comment t’appelles-tu ?

L'étoile murmure :

À son tour, le lutin se présente :

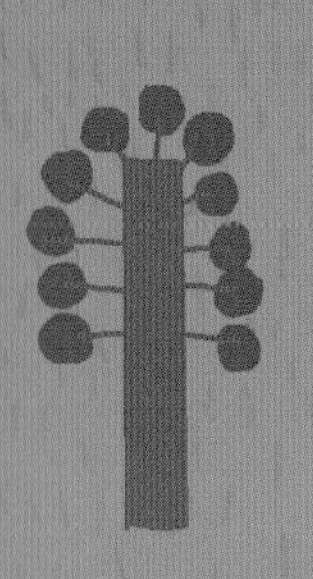

Je m'appelle Loulou.
Reste là, Sidonie.

Et Loulou file à la maison
chercher à boire.

C'est du jus
de pomme !

Sidonie boit le verre d'une traite.
Loulou retourne à la maison
chercher du sparadrap
et il explique :

C'est pour
te réparer.

L'étoile tremble de peur.

Loulou la rassure gentiment :

Du calme,
ma jolie !

Le lutin prend ensuite Sidonie
dans ses bras, et il l'installe sur son lit.

Mais la petite étoile a l'air de s'éteindre.
Elle gémit :

Loulou est inquiet.
Soudain, il s'écrie :
J'ai une idée !

Il court à la cuisine, et revient avec des ampoules électriques.

L'étoile engloutit les ampoules une à une, en murmurant :

C'est bon, c'est un délice.

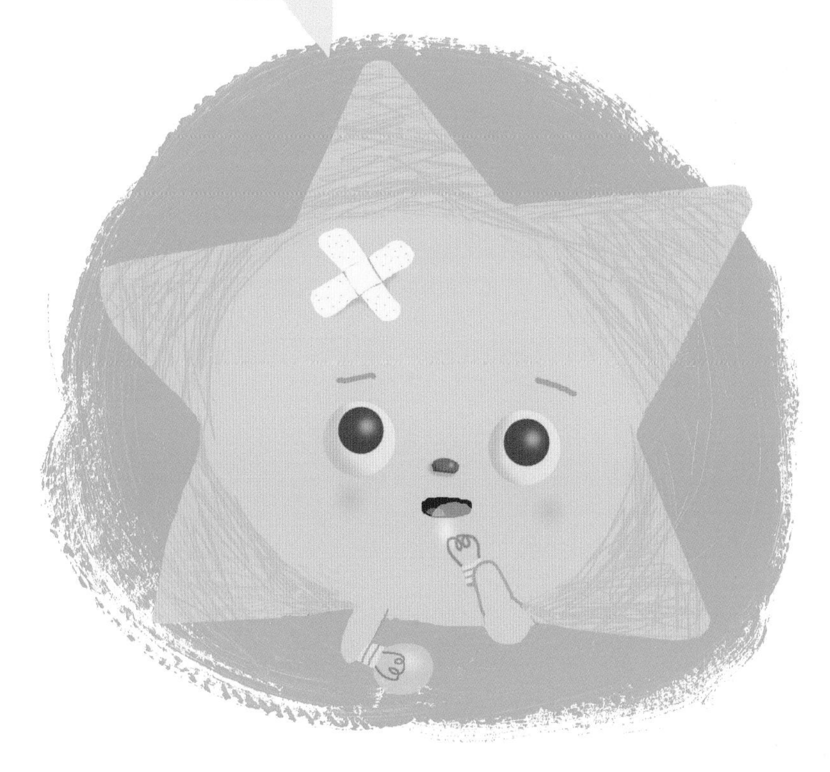

Petit à petit, Sidonie
reprend des forces.
Loulou pousse un soupir
de soulagement.

Le lendemain matin,
la petite étoile filante est guérie.
Elle brille de tous ses feux.

Tout content, Loulou va chercher son cerf-volant, et il explique :

C'est pour que tu repartes dans l'univers.

Mais Sidonie a peur, elle crie :

Le lutin prend l'étoile dans ses bras.

Pour la réconforter, il lui chuchote :

Tu as raté un virage,
hier, c'est normal,
tu es encore petite.
Mais tu vas y arriver !

Sidonie le regarde
dans les yeux.
D'accord, Loulou,
je repars.

Loulou installe Sidonie
sur le cerf-volant,
et il se met à courir.

Le cerf-volant s'élève.
Sidonie se détache
en s'écriant joyeusement :

Avant de disparaitre, Sidonie dessine un cœur dans le ciel pour Loulou.
Elle crie encore :

Nathan présente les applications iPhone et iPad tirées de la collection *premières* **lectures**.

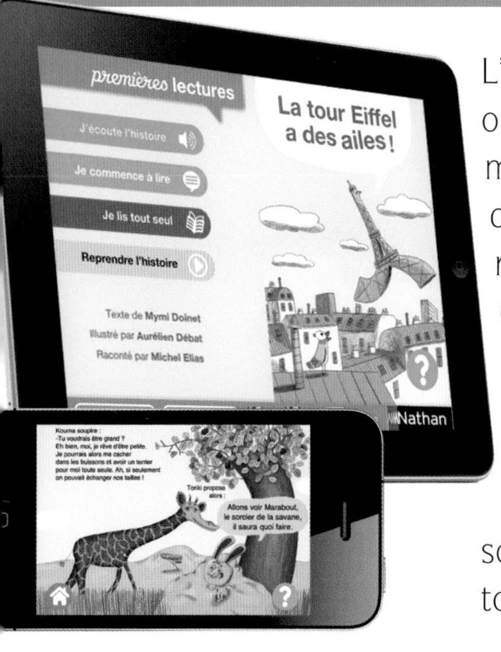

L'utilisation de l'iPhone ou de la tablette permettra au jeune lecteur de s'approprier différemment les histoires, de manière ludique. Grâce à l'interactivité et au son, il peut s'entrainer à lire, soit en écoutant l'histoire, soit en la lisant à son tour et à son rythme.

Avec les applications *premières* **lectures**, votre enfant aura encore plus envie de lire… des livres !

Toutes les applications *premières* **lectures** sont disponibles sur l'App Store :

Bravo! Tu as lu un livre en entier !
Tu as aimé cette histoire ?

Découvre d'autres aventures du même auteur !

premières lectures

N° éditeur : 10272732 – Dépôt légal : août 2007
Achevé d'imprimer en février 2021 par Pollina
(85400 Luçon, Vendée, France) - 97257